#62 Lakeview Terrace Branch
12002 Osborne Street
Lakeview Terrace, CA 91342

S0-BOA-337

# MI HÁMSTER

SE LLAMA .....................................................

MACHO ☐  HEMBRA ☐

FECHA DE NACIMIENTO ...........................

RAZA .........................................................

COLOR.......................................................

PARTICULARIDADES.................................

.................................................................

.................................................................

.................................................................

*Traducción de Ariadna Martín Sirarols.*

*Proyecto gráfico de la cubierta de Studio Tallarini.*

*Dibujos de Chiara Dissette, excepto los de la página 23 que es de Michela Ameli.*

*Fotografías de la cubierta y del interior de Marta Avanzi, excepto las de las páginas: 17 y 55 que son de Florance Desachy; 8 de Français/Cogis; 51, de Hermeline/Cogis; 51, de Lanceau/Cogis; 35, 36, 40, 42, 45 y 53 de Rita Mabel Schiavo.*

© Editorial De Vecchi, S. A. U. 2006
Balmes, 114 - 08008 Barcelona
Depósito Legal: B. 37.371-2006
ISBN: 84-315-3133-9

Editorial De Vecchi, S. A. de C. V.
Nogal, 16 Col. Sta. María Ribera
06400 Delegación Cuautemoc
México

# Índice

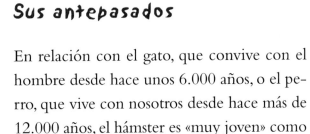

# Su vida con el ser humano

Pequeño, encantador, con pocas «pretensiones» y muy apreciado por los niños, el hámster entra a menudo en nuestras casas como alternativa al perro, que tanto apego nos tiene. Pero no siempre ha sido así.

*Hámster común*

## Sus antepasados

En relación con el gato, que convive con el hombre desde hace unos 6.000 años, o el perro, que vive con nosotros desde hace más de 12.000 años, el hámster es «muy joven» como animal de compañía.

Los primeros fósiles de roedores que pueden considerarse sus antepasados lejanos se remontan al Paleoceno tardío (hace 65 millones de años) y se encontraron en Norteamérica y Eurasia. Estos animales eran parecidos a pequeñas ardillas, con una cola larga y espesa, y probablemente vivían en los árboles. Otros roedores primitivos tenían las uñas de las patas delanteras muy largas, que seguramente servían para excavar galerías subterráneas. Sin embargo, si nos limitamos a los «bisabuelos» de nuestros hámsters, los restos más antiguos son europeos y se remontan al Oligoceno (hace 36 millones de años).

## Los primeros estudios

Estos animalitos, presentes en todos los continentes y en casi todos los hábitat, si-

guieron al hombre en sus desplazamientos, usando las bodegas de los barcos como «medio de transporte», y lograron llegar hasta las islas más remotas del océano. Pero, a pesar de su compañía, el ser humano no mostró gran interés por ellos hasta finales del siglo XVIII. Los primeros estudios sobre las características físicas, el comportamiento y las costumbres del hámster común, que es el de mayor tamaño, más irascible y ruidoso, se remontan en realidad al año 1774. Sin embargo, no se volverá a hablar de él hasta 1936. Pero ¿qué sabemos de las otras razas de hámster?

*El hámster tiene muchas características que hacen de él un excelente animal de compañía*

## Hámster dorado

La misma suerte corrió el que ha sido definido como «120 gramos de simpatía», hasta el punto de

*Aunque, si lo observamos, parece difícil de creer, el hámster ruso se vende también con el nombre de «osezno» ruso. Por su aspecto y carácter, se parece mucho al hámster siberiano*

que se estima que actualmente, en todo el mundo, el número de hámsters dorados que conviven en los hogares es del orden de un millón. Quien estudió por primera vez sus características fue un tal Waterhouse, en 1839, que seguramente ni se imaginó la gran popularidad que alcanzaría este animalito. No obstante, a partir de esa fecha, y durante casi un siglo, nadie volvió a pensar en él.

En 1930, en una expedición a Siria, el profesor Aharoní, zoólogo de la universidad de Jerusalén, descubrió cerca de Alepo una madriguera de dos metros y medio de profundidad, con una madre hámster y las crías en su interior. Fascinado por el aspecto de la camada, decidió quedarse con ella. El profesor fue el primer criador de esta clase de roedores y puede decirse que todos los hámsters dorados actuales descienden de los de Aharoní.

## Hámster ruso

También recibe el nombre de hámster de Campbell, ya que el investigador W.C. Campbell fue quien capturó por primera vez algunos ejemplares en Tuva, Mongolia, en 1902. Estos hámsters tuvieron una primera cría en Leningrado, seguida de otras en Moscú y en Europa Occidental.

Gracias a su aspecto simpático y a su carácter bondadoso, estos pequeños roedores acabaron por pasar de los criaderos a las tiendas de animales. De hecho, la mayor parte de hámsters enanos adquiridos hoy en día son precisamente hámsters rusos.

## Hámster siberiano

Los primeros cuatro ejemplares de esta clase de hámster fueron capturados a principios de los años setenta del siglo XX en Siberia, cerca de Omsk. Su presencia en las tiendas de animales es mucho más escasa que la de hámsters rusos, pero aumenta progresivamente.

*Hámster siberiano*

## Hámster de Roborowski

Originario de Mongolia, Rusia y del norte de China, también recibe el nombre de hámster

# Sus parientes

*Una mamá chinchilla con su pequeño*

## La chinchilla

Es el roedor de compañía que vive más tiempo (unos 8 o 9 años, pero puede alcanzar incluso los 20) y actualmente es una de las especies más buscadas. Tiene un carácter despierto y curioso, duerme de día y es especialmente activo por la noche. Sin embargo, es más bien miedoso y necesita mucho cariño.

## El conejo enano

Se adapta muy bien a la vida en un piso y puede vivir también fuera de la jaula, moviéndose por la casa. Es despierto, inteligente, afectuoso, pero necesita mucha compañía. Se considera el amigo ideal del conejillo de Indias.

## El jerbo

Además de ser muy sociable, su mejor característica es la docilidad, que hace de él un animal fácil de domesticar. Le encanta excavar madrigueras.

## El conejillo de Indias

Llamado también cobaya, junto con el hámster, es el roedor más apreciado por los niños. Es muy dócil y, cuando «habla», da la sensación de que está balbuceando. A diferencia del hámster y la chinchilla, vive de día.

## La ardilla coreana

Al igual que el conejo enano, necesita salir de la jaula de vez en cuando. Es muy sociable, pero también es posesiva y prefiere ser la única ardilla de la casa.

## La rata noruega

Muy fiel a su dueño, es inteligente, juguetona y fácil de criar. Más activa de día que de noche.

## El ratón

Es un animal nocturno, quizá poco sociable y también muy independiente, tanto, que domesticarlo requiere paciencia y dulzura. En compensación, le encanta jugar.

del desierto, porque su hábitat natural es el desierto arenoso.

Roborowski es el nombre del investigador que capturó uno de ellos en 1894.

Los primeros ejemplares fueron introducidos en Europa en 1960, en el zoológico de Londres, pero este hámster no empezó a comercializarse como animal de compañía hasta el año 1990.

## Hámster chino

Aunque en España este hámster todavía es poco conocido, en Pequín fue el primero en ser animal de compañía (los que se capturaban eran vendidos por las calles).

*El hámster chino ha llegado a las tiendas de animales estos últimos años*

# Voy a tener un hámster

Cuidar a un hámster es fácil: basta con ofrecerle una casita adecuada y él se adaptará muy bien a la vida en nuestro hogar. Pero quien desee tener un hámster debe saber que este animal también necesita respeto y atención.

Pequeño, indefenso, con un pelaje sedoso y mullido… ¿Cómo resistir la tentación de llevarse uno a casa? Despierta fácilmente sensación de ternura, pero no debemos olvidar que, a pesar de su aspecto que recuerda al de un peluche, el hámster es un ser vivo (¡y no un juguete!) al que hay que respetar y querer, aunque no podamos esperar de él las demostraciones de afecto propias de un perro o de un gato.

Antes que nada, hay que pensar en su bienestar: necesita sus ratos de soledad en la jaula, donde quiere que lo dejen tranquilo, pero también agradece los cuidados y atenciones que podamos dedicarle. Cuando le de-

*Existen también hámsters dorados de pelo largo: ¡una verdadera melena!*

mos de comer, lo «vigilaremos» para asegurarnos de que todo va bien y limpiaremos la jaula. Y no sólo el primer día, sino todo el tiempo que conviva con nosotros.

## ¿Macho o hembra?

Si decidimos comprar sólo un hámster, no tiene demasiada importancia que sea macho o hembra, porque ambos se comportan absolutamente del mismo modo. En algunos casos, las hembras de hámster dorado son más agresivas que los machos, pero se trata sólo de un aspecto de su «propio» carácter.

## ¿Y la raza?

Como se puede imaginar fácilmente, la elección de una raza u otra es sobre todo cuestión

## Conocer su carácter

Basta con entrar en una tienda de animales y observar una camada de hámsters para darse cuenta de que cada mascota tiene «su personalidad». Algunos comportamientos nos ayudarán a saber cómo es nuestro nuevo amigo y si se adaptará a la vida familiar sin problemas.

Por ejemplo, ¿cómo reacciona cuando el vendedor mete la mano en la jaula para cogerlo?

● Si se acerca y «examina» sus dedos, dejándose coger con toda tranquilidad, se trata de un animal curioso, dócil, de buen carácter y acostumbrado a la compañía del hombre.

● Si reacciona de forma agresiva, mordiendo al vendedor en cuanto lo coge, significa que es más bien «miedoso» y se necesitará más paciencia para domesticarlo.

*En la página anterior, una pareja de hámsters chinos*

# ¿Es cierto...

## ... que puede tener familia numerosa

El hámster, como el resto de sus parientes roedores, también tiene la capacidad de multiplicarse a una velocidad excepcional. Basta pensar que, si bien hay algunas diferencias entre razas, una hembra puede dar a luz hasta 40 crías al año (habitualmente, entre 6 y 8 cada vez). Por lo tanto, si decidimos comprar un hámster hembra, no está de más que nos aseguremos, a través del vendedor, de que no ha convivido en la misma jaula con un macho. De ser así, con dos meses de edad ya podría criar y, en el plazo de un par de semanas, en lugar de contar con un hámster, nos encontraríamos con una auténtica familia.

de gustos. Sin embargo, existen diferencias que es mejor conocer antes.

**Hámster dorado.** La regla que deberá respetar siempre es «una jaula para cada cual»: en efecto, el hámster dorado es un animal más bien solitario, al que le gusta ir por su cuenta y que puede mostrarse muy agresivo con sus semejantes.

También es de mayor tamaño que los demás hámsters y, por tanto, más fácil de manejar.

**Hámster ruso y siberiano.** Se parecen muchísimo, tanto en su aspecto como en su carácter, ya que ambos son más bien sociables y se adaptan rápidamente a la vida con el ser humano.

La principal diferencia entre ellos es que durante los meses de invierno el manto del hámster siberiano se vuelve blanco: con toda seguridad, es una forma de mimetismo, adoptada por el animal salvaje (y que ha permanecido también en el hámster doméstico), para confundirse con el blanco de la nieve y protegerse de este modo de los predadores.

**Hámster de Roborowski.** Es quizá el más tímido, y también al que le cuesta más acos-

*Hámster ruso*

*Hámster ruso*

tumbrarse al contacto con el ser humano: por consiguiente, es más adecuado para los dueños que prefieran observar sus actividades en la jaula a tenerlo a menudo entre sus manos.

**Hámster chino.** También este hámster es más bien tímido, miedoso y «nervioso», por lo que no es fácil de domesticar.

## ¿Cuál es la edad ideal?

*Hámster dorado*

La edad también tiene su importancia. Lo ideal es comprar un hámster entre las 5 y las 10 semanas de vida. En realidad, los animales demasiado jóvenes, todavía acostumbrados a la leche materna, podrían encontrar algunas dificultades para comer por sí mismos. Por otra

parte, los hámsters un poco mayores, que han crecido en las tiendas de animales y no están acostumbrados a dejarse tocar, podrían adaptarse menos a la vida familiar.

## ¿Solo o en pareja?

Como ya hemos dicho, en el caso del hámster dorado, desea vivir solo y no hay forma de hacerlo cambiar de idea. Por consiguiente, si compramos más de uno, deberemos ponerlos en jaulas separadas.

En cambio, el hámster ruso, el siberiano y el de Roborowski prefieren vivir en pareja, mejor aún si están acostumbrados desde pequeños.

La solución ideal para ellos es que sean macho y hembra, pero en este caso el dueño deberá prever a quién regalará las crías. En cambio, si viven en la misma jaula dos machos adultos, es prácticamente inevitable que se peleen, mientras que es más probable que dos hembras se lleven bien, aunque tampoco se pueda apostar por ello.

Por último, con respecto a los hámsters chinos, las hembras son muy agresivas, por lo que conviene mantenerlas siempre separadas.

*En la página de al lado, una pareja de hámsters rusos*

# Aprender a conocerlo

El hámster pertenece a la clase de los mamíferos. Estos animales se distinguen por su capacidad de regular su temperatura corporal, tienen el cuerpo cubierto de pelo y amamantan a sus crías, a diferencia, por ejemplo, de los reptiles, que son animales de sangre fría, tienen la piel recubierta de escamas y, en la mayor parte de los casos, son ovíparos.

El hámster pertenece a la familia de los Cricétidos, del orden de los roedores, el grupo de mamíferos más numeroso, con más de 1.400 especies, en el que, además del hámster y el ratón, se sitúan la ardilla, la marmota, el conejillo de Indias, la chinchilla, el puerco espín… El más pequeño de todos es el ratón pigmeo, que pesa sólo 5 g, y el mayor, el carpincho, un animal que puede sobrepasar los 70 kg.

La principal característica común a todos los roedores son sus dientes, que crecen sin cesar a lo largo de toda su vida; por eso, para que tengan una longitud correcta, deben tener un

## Carné de identidad
**del hámster dorado**

| | |
|---|---|
| Nombre científico | Mesocricetus auratus |
| Orígenes | Procede de las regiones de Oriente Medio (Siria) y Europa Oriental |
| Longitud | 13-15 cm (la cola mide 1-2 cm) |
| Peso | 120 g |
| Temperatura corporal | 37-38 °C |
| Esperanza de vida media | 2-3 años |

desgaste regular, que consiguen mordisquean-
do (o solamente royendo, término que aclara
el nombre que se da a estos animales).

*Hámster ruso albino,
con sus característicos
ojos rojos*

## Los Cricétidos

De todos los roedores, la familia más numerosa
es justamente la de los Cricétidos, que com-

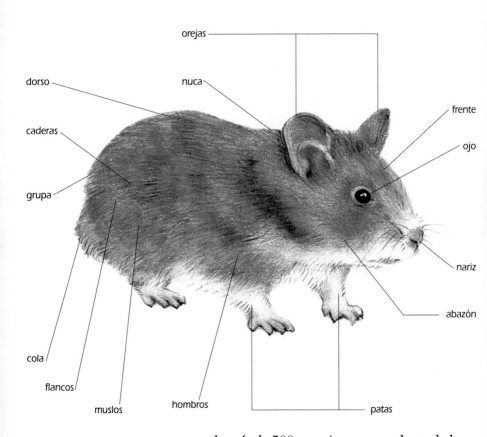

orejas

dorso

nuca

frente

caderas

ojo

grupa

cola

flancos

muslos

hombros

nariz

abazón

patas

prende más de 500 especies, aunque de verdaderos hámsters hay poco más de veinte. De estas, solamente cinco se crían como animales de compañía. Son: el hámster dorado (el más popular), el hámster ruso, el hámster siberiano, el hámster de Roborowski y el hámster chino. En cambio, el llamado hámster común *(Cricetus cricetus)*, de mayor tamaño, es un animal más bien agresivo, nada adecuado para vivir con el hombre.

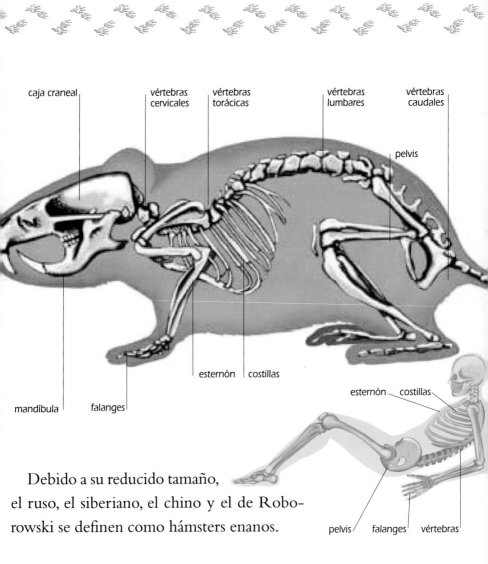

caja craneal

vértebras cervicales

vértebras torácicas

vértebras lumbares

vértebras caudales

pelvis

esternón   costillas

esternón   costillas

mandíbula

falanges

pelvis   falanges   vértebras

Debido a su reducido tamaño, el ruso, el siberiano, el chino y el de Roborowski se definen como hámsters enanos.

## El hombre y el hámster tienen algunas cosas en común...

Además de ser mamíferos, y aunque pueda parecer increíble, el ser humano y el hámster tienen un esqueleto compuesto por más o menos el mismo número de huesos (unos 200). El hámster también tiene columna vertebral, caja torácica y órganos internos como el estómago, el hígado o los intestinos.

## ¿Es cierto...

### ... que no suda

El hámster no puede disipar el calor corporal excesivo como hacemos nosotros, porque no es capaz de sudar, y no puede hacerlo tampoco jadeando, como el perro: justamente por ese motivo es muy sensible a las altas temperaturas, contra las que no tiene defensa. Especialmente en los meses de más calor, es muy importante tomar precauciones para que la jaula de nuestro pequeño amigo no quede expuesta al sol.

## ... y otras diferentes

### Los dientes

La característica más simpática de nuestro amigo el hámster son justamente sus típicos dientes. Corresponden a los incisivos del ser humano, pero, a diferencia de nuestros ocho incisivos (cuatro arriba, cuatro abajo), sólo tiene dos superiores y dos inferiores. Su color es amarillento, son largos y afilados, y les sirven no sólo para comer, sino también como arma de defensa: efectivamente, en caso de necesidad pueden «castigar» al adversario con profundos y dolorosos mordiscos.

Los demás dientes son los molares, situados en la parte más interior de la boca.

Y aquí existe una cierta semejanza con el hombre, porque, como en el caso de nuestros dientes, cuando los molares ya han salido, no crecen más. En cambio, el hámster no tiene colmillos ni premolares.

### Los abazones

Quizá sea esta la característica más «particular» de los hámsters. Tienen unas grandes bolsas en la

# El letargo

En su vida en la naturaleza, el hámster se aletarga cuando la temperatura disminuye y la comida escasea, con lo que encontrar comida resulta más difícil. Es un mecanismo que permite a su cuerpo reservar energía. Algunos experimentos realizados con el hámster dorado han demostrado que, durante el letargo en un ambiente a 5 °C, su temperatura corporal desciende a 5-6 °C (normalmente es de 37-38 °C).

Pero para el hámster que vive en nuestras casas, el letargo no es nunca completo, porque disfruta de unas condiciones obviamente distintas a las del exterior. No obstante, durante el invierno puede suceder que lo encontremos transformado en una fría bola de pelo que no da señales de vida. En esto casos, no hay que molestarlo y por ninguna razón debemos tocarlo o despertarlo. Es preferible transportar la jaula a una zona tranquila, renovando regularmente la provisión de alimento seco y teniendo cuidado de que las semillas no se pudran, ya que de vez en cuando se despierta para comer. En cambio, durante el letargo no necesita agua ni otros líquidos.

parte interior de las mejillas, llamadas *abazones*, que pueden agrandarse y sirven para transportar la comida y el material para la madriguera, que el animal recoge durante sus expediciones nocturnas. Si están vacíos no se notan, pero cuando están llenos son muy evidentes y dan al hámster un aspecto verdaderamente gracioso. Cuando regresa a su madriguera, nuestro amigo vacía sus bolsas en la zona destinada a despensa, con la ayuda de sus patas delanteras. En cambio, los alimentos o materiales demasiado grandes como para caber en los abazones son transportados con la boca, sujetándolos con los incisivos.

*Los abazones permiten al hámster almacenar y transportar grandes cantidades de comida*

## Los ojos

Son pequeños, redondos, más bien saltones. Pero su visión no está muy desarrollada: en realidad, el hámster es un animal nocturno y en sus exploraciones confía más en otros sentidos, como el olfato o el oído. Sin embargo, a pesar de esa visión poco aguda, percibe bien el movimiento. Por

ello es importante acercarse a la jaula con tranquilidad y de forma gradual, ya que los gestos bruscos podrían asustarlo.

## Las orejas

Las orejas, finas, delicadas y recubiertas de una fina pelusa, garantizan al hámster un oído muy sensible; tanto, que los ruidos fuertes como los gritos, o el televisor o la radio a todo volumen, le molestan mucho.

*También el hocico, como el resto del cuerpo, es más bien redondo*

## El hocico

Está dotado de largos bigotes que se mueven continuamente cuando el hámster olisquea el aire, y representan también un óptimo órgano del tacto, muy útil para percibir los obstáculos cuando nuestro pequeño roedor se mueve en la oscuridad. También el olfato está muy desarrollado y sirve tanto para buscar comida como para mantenerse alejado de los enemigos.

## Las patas

Las patas son más bien cortas. Las anteriores, que tienen cuatro dedos (aunque el primero es minúsculo), sirven tanto para coger la comida y llevársela a la boca como para ayudarse en las operaciones de limpieza. En cambio, cuando el hámster quiere mirar a su alrededor, se mantiene de pie sobre las patas posteriores, que tienen cinco dedos (también en este caso, el primer dedo es minúsculo).

*Las orejas, finas y delicadas, garantizan un oído muy sensible*

# Preparar su llegada

Por fin está a punto de llegar y la alegría es considerable. Pero no hay que olvidar que el hámster tiene un «estilo» de vida completamente distinto al nuestro: por ejemplo, cuando nosotros nos acostamos, él empieza a despertarse y cuando nosotros dormimos profundamente, el hámster está en plena actividad. Ahora descubriremos algunos «secretos» para acogerlo de la mejor manera posible.

Para ayudarlo a superar el estrés del cambio de casa, es importante que la jaula ya esté lista para acogerlo, con la comida, el lecho al fondo y la casita que se transformará en nido.

En este punto sólo falta introducir al hámster y observar… durante uno o dos días. De hecho, es normal que inicialmente esté algo desorientado y habrá que dejarle un poco de tiempo para que se ambiente y se tranquilice.

Al principio olisqueará por todas partes, corriendo por todos los rincones para explorar su nuevo hábitat. Al cabo de poco tiempo empezará a construirse el nido, quizá llevándolo de un lugar a otro, mientras sigue cambiando de idea sobre la mejor ubicación.

Pero pronto se acostumbrará a su nueva casa y podremos empezar a hacernos amigos.

## La jaula

La primera regla, cuando se escoge la jaula, es que sea absolutamente… a prueba de huidas. Los hámsters no sólo corren el riesgo de meterse en los orificios más pequeños, porque son minúsculos, sino que en relación con sus dimensiones tienen una fuerza notable. Por consiguiente, debemos asegurarnos de que la jaula no presente puntos débiles que permitan a nuestro joven amigo huir, porque si logra escapar podría tener problemas.

La segunda regla es comprar una jaula cuanto más grande mejor.

*Los hámsters se pasan la mayor parte del día durmiendo, se despiertan más o menos a media tarde y están muy activos por la noche*

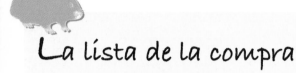

# La lista de la compra

## Compras obligatorias

- Jaula.
- Bebedero.
- Lecho.
- Rueda (o noria).

## Compras optativas

En las tiendas de animales se venden muchísimos accesorios, pero si la «paga» no nos permite grandes compras, se pueden sustituir tranquilamente esos objetos por otros de los que dispongamos en casa.

- Casita: se puede construir igualmente con una simple caja de cartón.
- Escudillas: también se pueden utilizar pequeños contenedores de plástico o cerámica.
- Tubos para el juego: ¡los soportes de cartón del papel de cocina o del papel higiénico van muy bien!

Los hámsters son animales muy ordenados que, en la naturaleza, excavan madrigueras con diferentes espacios orientados a funciones distintas —la despensa, el nido y por último el «baño»— y, por consiguiente, en una jaula necesitarán poder organizarse teniendo en cuenta esas necesidades. La solución ideal para que no ocupe demasiado espacio en la casa es una jaula de varias plantas, ya que además supondrá para el hámster la oportunidad de hacer gimnasia yendo arriba y abajo.

Para acabar, un último consejo: es conveniente escoger una jaula que sea fácil de desmontar y de limpiar, ya que, si se trata de una operación complicada, corremos el riesgo de desanimarnos a hacerlo, y la limpieza es muy importante para la salud del hámster.

# El lecho

El fondo de la jaula debe estar recubierto con una espesa capa de material absorbente, que no contenga polvo ni sea irritante. Los más adecuados son la paja de maíz, el serrín y, sobre todo, el heno, que el hámster utiliza a menudo para su nido. Todos estos materiales se venden en las tiendas de animales, en cómodos paquetes.

En cambio, es mejor evitar la típica gravilla para gatos: resulta demasiado gruesa para las

*Es muy importante limpiar la jaula con regularidad, cambiando el lecho al menos una vez por semana*

delicadas patas del hámster y tendremos la sensación de que nuestro amigo camina sobre espinas.

## La casita-nido

Algunas jaulas incorporan ya una casita o caja de plástico, con techo abatible para facilitar su limpieza, que el pequeño roedor rellenará con el material que se haya dejado a su disposición y transformará en el nido al que se retirará cuando quiera estar solo.

La casita no es, con todo, un accesorio indispensable, ya que muchos hámsters prefieren construir su nido en un rincón de la jaula, a su elección.

## Dónde poner la jaula

El mejor emplazamiento es un lugar tranquilo y silencioso, lejos de las corrientes de aire, pero también de las ventanas y radiadores, porque al hámster le afecta mucho el calor: tanto el del sol directo como el de la calefacción. Quien lo prefiera, también puede poner la jaula en su habitación, sin olvidar que, al ser un animal nocturno, se «espabila» (roe los barrotes o corretea por la noria) mientras duermen los dueños.

### El material para el nido
Los materiales adecuados para rellenar la casita son: papel absorbente de cocina, papel hi-

giénico, pañuelos de papel cortados en peda-
zos y heno. La paja, en cambio, es muy «ruda»
y podría lesionarle la boca o los abazones.

*En la casita-nido parece
estar a su aire*

## El contenedor-baño

Los hámsters tienen la costumbre de orinar en
un rincón de la jaula, siempre en el mismo si-
tio. Por ello sería buena idea instalar justo en ese
lugar un pequeño contenedor con arena: la
jaula se ensuciará menos y el hámster, que es un
animal muy limpio por naturaleza, vivirá feliz.

# Operaciones de mantenimiento

## Todos los días

Las pequeñas intervenciones de «mantenimiento» realizadas todos los días favorecen el bienestar de nuestro pequeño amigo.

Es preciso eliminar los restos de comida fresca (fruta, verdura…), porque se estropean, comprobar que el bebedero funciona bien, comprobar que haya comida suficiente, limpiar la zona de «baño», y lavar los recipientes para la comida y el agua.

## Al menos una vez a la semana

Deberá limpiarse la jaula cuidadosamente alrededor de una vez por semana, llevando a su habitante a un lugar seguro a prueba de huidas: por ejemplo, un barre-

ñito con las paredes altas. Se retirará el lecho, junto con la comida acumulada en la zona de despensa durante las actividades nocturnas, y el material del nido.

Se lavará la jaula con agua y jabón, se enjuagará bien y se dejará secar. También hay que lavar todos los objetos de plástico (casita, rueda…).

Cuando la jaula esté seca, se recubrirá el fondo con una capa de lecho limpia, se dispondrá en su interior el material para el nido y se preparará un poco de comida fresca.

Cuando regrese a casa, el hámster necesitará tiempo para construir otra vez su nido y, a menudo, también para acumular nuevos desperdicios de comida que reemplacen a los que hemos retirado.

## Y además...

La rueda o noria es un accesorio absolutamente indispensable, especialmente para los hámsters jóvenes: el instrumento ideal para desentumecer las patas incluso en un espacio reducido.

Por otra parte, si la jaula es lo bastante grande, se le pueden poner tubos, escaleras, objetos sobre los que el hámster pueda encaramarse, ramitas para roer... Naturalmente, todo lo que se deje a su disposición debe ser seguro; por tanto, nada de objetos barnizados, que son tóxicos, ni sustancias que si nuestro pequeño roedor lograra engullir no podría digerir.

*La jaula para hámsters enanos, como este «ruso» que hace gimnasia en la rueda, debe tener los barrotes muy juntos, a prueba de fugas*

37

# ¡Buen provecho!

**E**n la naturaleza el hámster se alimenta con todo tipo de comida; por ello, en casa su alimentación deberá parecerse lo más posible a la del animal «salvaje».

Aunque, cuando vive en libertad, permanece cerca de los campos de trigo, el hámster no es en realidad un animal vegetariano, sino que puede considerarse omnívoro, ya que come vegetales (plantas, semillas, tubérculos, frutas), pero también pequeños animales (insectos, gusanos, ranas, ratoncitos, pajaritos…). Además, le gusta elegir entre diversos tipos de alimentos, tanto que es aconsejable proporcionarle un «menú» rico y variado.

## ¿Es cierto...

### ... que puede comer de todo

Hemos dicho que el hámster es un animal omnívoro, pero eso no significa que pueda comer cualquier alimento. Por ejemplo, le encanta el chocolate, pero le provoca problemas intestinales. Por consiguiente, teniendo en cuenta que nuestro amigo no sabe qué puede sentarle mal, será el dueño el que deberá aprender a decir no. Si deseamos premiarlo, no todos los días, ya que entonces más que un premio sería un «vicio», podemos darle de vez en cuando un grano de pasa o una galleta.

## La verdura

En su dieta no deben faltar los productos frescos, crudos o cocidos, que le proporcionan fibras, vitaminas, sales minerales y agua. Puede comer los mismos vegetales que el hombre, aunque algunos, como las zanahorias, deberán limitarse para evitar que engorde en exceso.

## Su escudilla

Las mejores escudillas son las de cristal, que no puede roer. Como alternativa, también van bien las de plástico, siempre que sean resistentes y de bordes gruesos. Es preciso fijarlas bien en el fondo para evitar que se estropeen, lo que sucede regularmente si no se «inmovilizan». En realidad, los contenedores para la comida no son esenciales y se puede utilizar cualquier recipiente «de emergencia», como un platito o un pequeño objeto de cerámica de la cocina.

También son muy recomendables las hierbas del campo, como el trébol y el diente de león, que le gusta mucho.

En cuanto a las verduras cocidas (guisantes, habas, patatas), puede ser útil recordar a quien prepare la comida que es mejor cocinarlas al microondas o bien hervirlas y, naturalmente, sin condimentar.

### La fruta

Al hámster le encantan los frutos secos: come nueces, avellanas, almendras y cacahuetes, pelados y limpios, ya que no siempre sus dientes logran romper las cáscaras.

También le gustan las fresas, uvas, cerezas (que se pueden dejar enteras), así como las man-

zanas, peras, albaricoques, melocotones (que, en cambio, es mejor trocear).

## Carne, pescado, huevos

Un huevo duro, algunos trocitos de carne magra cocida, atún fresco, un poco de queso fresco o yogur —y también alguna croqueta para perros— garantizan al hámster las proteínas que necesita.

*Cuatro imágenes que resumen sus costumbres: para el hámster no es fundamental comer dentro del plato; le gustan mucho las semillas (pero tampoco hay que exagerar) y escoger entre varios tipos de alimento; siempre necesita tener a su disposición agua fresca y limpia*

Para el hámster, las larvas de insectos constituyen un verdadero manjar, como las llamadas polillas de la miel, que se encuentran en las tiendas de aparejos de pesca, aunque resulten algo repugnantes para el dueño.

## Los cereales

*En su «menú» no debe faltar la verdura, cruda o hervida*

Si se consigue encontrar espigas de trigo o cebada, el hámster se sentirá muy feliz y se divertirá descascarillándolas. También le gusta la pasta hervida, el pan y las tostadas integrales, los copos de avena y otros cereales para el desayuno, como el muesli, por ejemplo (¡pero sin azúcar!).

## Agua a discreción

El agua no debe faltarle nunca, ya que es absolutamente falso que el hámster saque los líquidos que necesita de las verduras y frutas que come. El mejor método de ofrecerle agua es poner a su disposición un bebedero, que se colgará en la jaula.

Debido a sus dimensiones, nuestro minúsculo roedor bebe cantidades que a nosotros nos pueden parecer ridículas, pero es importante cambiar el agua todos los días, de modo que siempre esté fresca y limpia, así como controlar con regularidad que el bebedero funcione, utilizando el dedo para comprobar que el agua baja con facilidad.

## Los alimentos secos

En las tiendas de animales hay una gran variedad de alimentos elaborados para el hámster, que contienen semillas de distinto tipo, como maíz, girasol, cebada, avena, con verduras añadidas, algarrobas, patatas o zanahorias, según la marca. Es una solución muy práctica, pero estos alimentos deberán dársele en pequeñas dosis, más como tentempié que como comida principal. Ciertamente, al hámster le encantan determinadas semillas, sobre todo las de girasol, y acabaría por no comer otra cosa, en detrimento de otros alimentos menos sabrosos para él, pero más sanos. ¡Al igual que muchos niños con algunas verduras!

## Las reglas correctas

**Las comidas.** Los hámsters no tienen horarios precisos para comer y, sobre todo, les gusta hacer varias comidas durante el día. Es más, cuando duermen interrumpen su sueño a menudo para ir a comer, incluso con los ojos cerrados. Por tanto, es preciso que nuestro pequeño amigo tenga siempre comida a su disposición, que deberá proporcionársele preferentemente por la noche, cuando inicia su actividad.

**Cuánto come.** Un hámster dorado consume cerca de 12 g de alimento al día, sobre todo en las horas nocturnas.

**Temperatura.** La fruta y la verdura deben estar a temperatura ambiente, por lo tanto, nunca recién sacadas del frigorífico o del horno.

**Cuidados del «nido».** Los hámsters pasan mucho tiempo ocupándose del nido, rellenándolo con los materiales que han encontrado durante sus exploraciones y quizá incluso con la comida transportada hasta allí en sus abazo-

nes. Para asegurarle un entorno sano y limpio, hay que controlar que los alimentos de que dispone no se estén estropeando; cada mañana hay que retirar los restos de alimentos frescos introducidos en la jaula la noche anterior.

*En efecto, impresiona un poco, pero su comida preferida son las larvas de insectos, como las polillas de la cera*

**No a los cambios imprevistos.** Hacer experimentos con platos nuevos o gustos insólitos no es una buena idea: el hámster debe acostumbrarse a las novedades poco a poco.

# Su salud

Velar por la salud de nuestro hámster significa asegurarle «los cuidados» que necesita, protegerlo de las fuentes de peligro y llevarlo al veterinario cada vez que tengamos la sensación de que algo no va bien.

En general, es difícil que un hámster enferme; si nos ocupamos de él con la atención que merece, se mantiene sano y activo hasta su «vejez». Para cuidarlo, los aspectos más importantes son dos: el emplazamiento de la jaula, que deberá permanecer en una habitación resguardada de los cambios de temperatura y de corrientes de aire, y la dieta, con alimentos nutritivos adecuados para él.

Además de estas reglas fundamentales, adoptaremos pequeños hábitos en el día a día, a los que nos referiremos como cuidados «casi» diarios, que nos permitirán descubrir a tiempo si el hámster no está bien. Esto nos ayudará, sobre todo, a establecer con nuestro pequeño roedor una relación de amistad y afecto.

## El pelaje

*A menudo basta con un poco de comida y un tubo de cartón para que se sienta feliz. Pero, aunque se contente con poco, merece toda nuestra atención*

En los hámsters de pelo largo, el pelaje deberá cepillarse con regularidad para eliminar eventuales residuos de comida o del lecho, así como el pelo muerto, que el animal podría ingerir. Debido a sus dimensiones, no es necesario un cepillo grande: bastará con uno de dientes.

## ¿Es cierto...

### ... que puede bañarse

Bañar al hámster puede ser muy estresante para nosotros y peligroso para él, ya que podría enfriarse mucho. Si no hay alguna razón de peso, siempre es mejor evitar el baño.

Por otra parte, a estos animales les gusta mucho la limpieza personal y lo habitual es que no haga ninguna falta la intervención «humana». Cuando consideremos necesario un «baño», utilizaremos una esponja húmeda.

El cepillado deberá efectuarse, alternativamente, desde la mitad del cuerpo hacia la cabeza y desde la mitad del cuerpo hacia la cola.

## Las uñas

*Al igual que los dientes, las uñas deberán controlarse a menudo, de manera que puedan cortarse cuando sea preciso*

En la naturaleza no se plantea el problema de las uñas, porque el hámster salvaje las utiliza para excavar la tierra; pero, al vivir dentro de una casa, las uñas tienen menos posibilidades de desgastarse. Por lo tanto, habrá que revisarlas y cortarlas, cuando sea necesario, para evitar que se enreden en la rejilla de la jaula y se estropeen. Se utiliza un cortaúñas corriente, teniendo la precaución de no tocar la parte más próxima al dedo. Las primeras veces, si no se sabe cómo efectuar un corte seguro, es mejor dejarse aconsejar por el veterinario.

## Los dientes

Teniendo en cuenta que crecen continuamente, los dientes también merecen una atención par-

# EDITORIAL DE VECCHI

**Apartado F. D. 311**
**08080 BARCELONA**
**(España)**

# Si desea recibir nuestro catálogo ilustrado en color, GRATUITAMENTE Y SIN COMPROMISO POR SU PARTE, remítanos esta tarjeta que no necesita franqueo.

Si nos remite esta tarjeta desde fuera de España, deberá franquearla en origen.

Por favor, rellene con letras mayúsculas.

Apellidos _____

_____ Nombre _____

Dirección _____

Cód. postal _____ Ciudad _____ n.° ____

Provincia _____

Le informamos que al facilitarnos sus datos usted consiente que se incorporen en un fichero de EDITORIAL DE VECCHI, domiciliada en calle Balmes, n.° 114, 1.°, 08008 Barcelona, con la finalidad de remitirle comunicaciones comerciales de su interés, como por ejemplo nuevos libros y catálogos. Podrá ejercer sus derechos de acceso, rectificación, cancelación y oposición dirigiéndose por escrito a EDITORIAL DE VECCHI indicando en el sobre: Protección de Datos.

ticular. De hecho, si llegan a ser demasiado largos, porque no se desgastan lo suficiente royendo, el animal no podrá comer. El inconveniente se resuelve recortándoselos periódicamente con un cortaúñas (como el que se utiliza para cortar las uñas de perros y gatos). Para el veterinario es una operación de pocos minutos, pero observando como lo hace —y si el hámster tiene un carácter apacible— también el dueño podrá hacerlo.

*Será sobre todo el ojo clínico del dueño, que conoce sus costumbres y sus comportamientos, el que percibirá cuándo es necesaria una visita al veterinario*

# Cómo saber si no está bien

Un hámster sano está atento, despierto, se mueve con gran agilidad y de forma coordinada. Algunos signos, en particular, nos ayudan a entender cuándo es necesaria una visita de control:

- Está inapetente o abatido.
- Se mantiene acurrucado en un rincón de la jaula.
- Demuestra escaso interés por la comida.
- Cojea o se tambalea.
- Duerme más de lo habitual.
- Presenta un comportamiento agresivo, cuando siempre ha tenido un carácter dócil.

## Los peligros en casa

Con las debidas precauciones, se puede dejar al hámster pasear libremente por una habitación, de manera que haga un poco de «gimnasia». Esto es particularmente útil para el hámster dorado, el ruso y el siberiano. En cambio, por lo general, los hámsters de Roborowski y los chinos son muy rápidos y difíciles de coger, por lo que recuperarlos se puede convertir en una verdadera odisea.

En cualquier caso, si desea intentar el experimento, es conveniente no perder nunca de vista al hámster, tanto para que no cause desastres, royendo muebles, alfombras y sillones, co-

mo para que no se aga-
zape en posibles es-
condites. Pero vea-
mos cuáles son las
principales pre-
cauciones que
deben adoptarse:

● hay que escoger la
habitación que ofrezca

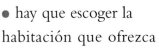

menos posibilidades de huida y cuente con menos escondrijos, como espacios entre muebles
y paredes donde podría meterse el animal;

*El interés que demuestra
por la comida es un «test»
excelente para controlar si
está bien*

● es importante que la puerta de la habitación
esté bien cerrada, para no tener que buscar después al «fugitivo» por toda la casa;

● deberá vigilar que en la habitación no haya
sustancias peligrosas. Por ejemplo, plantas vene-
nosas (como la planta de Navidad o la azalea),
cigarrillos, detergentes. Cuidado también con los
cables eléctricos y telefónicos: parece increíble,
pero, como por otra parte corresponde a todo
roedor que se precie, un hámster no puede resistir la tentación de roerlos, con el riesgo de dañar
la instalación y, sobre todo, de sufrir un calambre.

## La primera visita de control

A diferencia de los perros, gatos y conejos enanos, los hámsters no necesitan ir a la consulta del veterinario para vacunarse. Con todo, justo después de adquirirlo, es conveniente realizar una visita de control para asegurarse de que todo esté bien. Al elegir veterinario, es importante dirigirse a una persona que tenga experiencia con hámsters, porque las enfermedades de estos animales son completamente distintas a las de los perros y los gatos.

Por otra parte, dentro de lo posible, conviene concertar la visita con antelación, de manera que el tiempo que transcurra en la sala de espera, junto a perros y gatos, sea breve y no agite a nuestro pequeño amigo.

## Qué hacer si se pone enfermo

Cuando tengamos la sensación de que el hámster no está bien, debemos llevarlo a la consulta lo antes posible. Lo ideal es transportarlo en su jaula, que puede aportar una serie de informaciones útiles para el veterinario; en otro caso, lo po-

demos trasladar en un pequeño contenedor, con un poco de material del nido o con su casita.

También será necesario «prepararnos» para responder a las preguntas que con toda probabilidad hará el veterinario: la edad, el tipo de alimentación, desde cuando está mal, su comportamiento...

Pero ¿cómo podemos ayudar a nuestro amigo si, por lo que sea, el veterinario no puede visitarlo hasta dentro de uno o dos días? La mejor solución es mantenerlo en un ambiente cálido, con agua limpia y algunos de sus alimentos preferidos, para incitarlo a comer. Seguramente se sentirá confortado por los cuidados de su dueño.

*Si es curioso, está despierto y atento al entorno que lo rodea, como este hámster que se sostiene casi de pie sobre sus patas traseras, significa que está en plena forma*

# El momento del juego

El hámster es un animal solitario, que lleva una vida principalmente nocturna, ya que duerme durante gran parte del día. Por consiguiente, no debemos esperar poder jugar con él como haríamos con un gatito. Pero, entonces, ¿qué podemos hacer para que se sienta feliz?

En la naturaleza, la principal actividad del hámster —al igual que la de la mayor parte de los roedores— consiste en excavar madrigueras con numerosas galerías, pasear y buscar comida.

Todas estas «operaciones» son sin duda más complicadas en una casa. Teniendo en cuenta sus características, podemos organizarle «pasatiempos» a medida.

## Los juguetes

El hámster, animal despierto, curioso y muy activo, necesita juguetes que lo mantengan ocupado y le permitan hacer «ejercicio». De hecho, si lo dejamos solo sin nada interesante que hacer, se aburre enseguida. Columpios, escaleras... pero, sobre todo, la «mágica» rueda serán ideales para él.

**La rueda.** Se ha calculado que, correteando en la rueda, un hámster dorado puede recorrer nada menos que varios kilómetros en una sola noche, justo como haría en la naturaleza paseando en busca de comi-

da. Que la rueda es su pasión queda demostrado si nos detenemos ante el escaparate de una tienda de animales y observamos que dos o tres crías de hámster pueden llegar a utilizarla al mismo tiempo, con un efecto más bien cómico.

*Es importante que en su jaula haya siempre algún objeto que atraiga su atención, porque el hámster es un animal que se aburre enseguida*

**Y además...** Otros juguetes apropiados son carretes de hilo vacíos, grandes nueces enteras, canicas de colores, campanillas…

# «No molestes al perro que duerme»

Este dicho es muy adecuado para un animal como el hámster. Al estar activo sobre todo por la noche, durante el día descansa echando un sueñecito o durmiendo verdaderas siestas. Por consiguiente, no es difícil imaginar que pueda asustarse, o incluso enfadarse, si lo tocan cuando duerme o si lo despiertan repentinamente. Por eso, buscarle las cosquillas para ver si se mueve o, peor aún, cogerlo de improviso levantándolo «por una pata», significa provocar incluso al más tranquilo de los hámsters, que puede reaccionar con gritos de rabia o hasta con algún mordisco.

En la jaula tampoco debiera faltar un pedazo de madera seca y dura, sin aristas, que hace las veces del hueso para el perro, para que nuestro amigo pueda «trabajar» sus dientes. Bastará un viejo mango de escoba, que deberá cortarse, con la ayuda de un adulto, en pequeños trozos de unos diez centímetros.

# Para ser amigos

Tener a un hámster entre las manos es un placer al que es difícil renunciar. Apetece acariciar su pelo suave, dejarlo correr por los brazos y los hombros, hacer que juegue.

Sin embargo, los primeros días debe acostumbrarse a la presencia del hombre y, por consiguiente, hay que tener paciencia y actuar paulatinamente. Esto es, más o menos, lo que pudiera pasarle por la cabeza.

**No te conozco.** Al principio es conveniente dejarlo tranquilo. Después de abrir la jaula para darle de comer, es mejor permanecer allí al lado y hablarle suavemente, de modo que se acostumbre a nuestra voz y a nuestra presencia.

*La mejor manera de ganarse la confianza de un hámster es conquistar su estómago con alguna exquisitez. «Primero te olisqueo para que nos conozcamos. Después pruebo cómo se está en tu mano. Y ahora… me acomodo mejor»*

# ¿Cómo cogerlo?

Si no deseamos correr el riesgo de hacerle daño, lo mejor es coger al hámster por la piel del cuello, un método que lo inmoviliza e impide que se caiga en sus intentos por liberarse. Si tiene un carácter apacible y ya se ha acostumbrado a la presencia humana, otra forma de cogerlo es envolverlo delicadamente con una mano por debajo del vientre y ponerlo a continuación sobre la otra mano, sosteniéndolo mientras lo protegemos poniendo sobre él la primera mano ahuecada, como un paraguas.

**¡Has vuelto!** Pronto, el hámster empezará a salir de su madriguera cuando el dueño abra la jaula para reponer la comida. Le atrae ver qué hay de nuevo.

**Intento acercarme.** El paso siguiente es dejar la mano con un poco de comida en el interior de la jaula, permaneciendo inmóvil: al ratito se acercará para olisquear. Y cuando vea que no debe temer nada, se volverá más confiado y menos suspicaz.

**Me fío de ti.** En este punto, mientras se le ofrece un bocado tentador, se le puede empezar a acariciar. Será preciso, no obstante, dejar que sea él quien decida cuándo ha llegado el momento de encaramarse a nuestra mano.

**Ya somos compañeros de juego.** Poco a poco se acostumbrará a quedarse en la mano durante espacios de tiempo cada vez más largos, mientras el dueño lo acaricia y le habla suavemente. Pero cuando esté «harto» y quiera bajar de allí, es importante satisfacer sus deseos.

*Hámster siberiano*

# El hámster dorado

Es, sin duda, el más popular de los hámsters vendidos en las tiendas de animales, y está presente en millones de casas de todo el mundo como animal de compañía.

**Características físicas.** Es más grande que sus primos rusos, siberianos, de Roborowski y chinos; mide cerca de 13-15 cm y pesa 90-150 g (en general, la hembra es un poco mayor que el macho). El tipo más difundido es el de pelo corto, pero los hámsters de pelo largo, llamados también teddy bear o angora, son verdaderamente espectaculares.

**Temperamento.** Con un carácter más bien reservado, lleva una vida solitaria y no tolera la presencia de sus semejantes, a los que ataca ferozmente, por lo que siempre necesita que se le reserve una jaula para él solo.

**Color.** Su nombre deriva de que el color originario es un marrón dorado, con una banda más oscura junto al hocico y la barriga más clara. Sin embargo, hoy en día existen animales prácticamente de todos los colores: negro, champaña, rojizo, chocolate, blanco, gris y, por último, el llamado color tortuga, es decir, con un pelaje de tres colores (blanco, amarillo y dorado, o bien negro).

# El hámster ruso

Originario de las frías estepas del norte de Rusia y Asia central, donde la temperatura puede llegar a los −25 °C, a menudo se vende con nombres de fantasía, como osezno ruso o lemming.

**Características físicas.** Mide cerca de 8-10 cm y es mucho más pequeño que el hámster dorado, ya que pesa normalmente unos 30-40 g; el macho es ligeramente mayor que la hembra.

**Temperamento.** Es un animal sociable, al que le gusta vivir en compañía de sus semejantes. Incluso «habla» mucho más que los demás hámsters, hasta tal punto que, cuando los observemos en grupo, podremos ver cómo dos animales que se pelean emiten una serie de chillidos. Estas riñas, con todo, no llegan a ser verdaderas peleas: de hecho pronto termina la discusión y cada uno se va por donde ha venido.

**Color.** El tipo «normal» tiene un pelaje gris-marrón, con una banda oscura en la espalda y dos bandas oscuras en los flancos, mientras que la barriga es blanco-crema. También hay hámsters albinos (completamente blancos, con los ojos rojos), negros, de color plateado o platino.

# El hámster de Roborowski

Es muy simpático, pero pudiera decirse de él que es de «mírame y no me toques», porque no es fácil mantenerlo entre las manos.

**Características físicas.** Este roedor es el más pequeño de todos los hámsters que son animales de compañía: mide unos 5 cm, con pequeñas variaciones según la zona de origen, y pesa unos 14-20 g.

**Temperamento.** Algunos animales dóciles se dejan coger sin problemas, mientras que otros son más independientes y es prácticamente imposible «domesticarlos». Son, no obstante, hámsters muy despiertos y muy rápidos, por lo que, si se apartan de nuestras manos y se escapan, puede resultar muy difícil recuperarlos.

**Color.** Su tupido pelaje es de un bonito color marrón dorado en el dorso, mientras que la parte inferior del cuerpo es blanca. Encima de los ojos, negros y redondos, tiene dos pequeñas manchas de pelo blanco, que dan a este hámster una expresión muy particular.

**¡Cuidado!** Este pequeño roedor no debe estar en jaulas estándar de hámster, porque puede pasar por espacios muy estrechos y corremos el riesgo de que escape. En general, vive en contenedores con paredes lisas, de plástico o plexiglás.

# El hámster siberiano

Se parece bastante al hámster ruso, aunque se ve menos en las tiendas de animales. Se diferencia de los demás hámsters en que el color de su pelaje cambia y se vuelve blanco en invierno.

**Características físicas.** Mide aproximadamente como el hámster ruso, entre 8 y 10 cm, pero en general es un poco mayor, ya que puede llegar a pesar 60 g. También en este caso, el macho es ligeramente mayor que la hembra.

**Temperamento.** En cuanto a su talante, también se parece mucho al hámster ruso, porque es más bien sociable y se adapta pronto a la vida con el ser humano.

**Color.** Su pelo es gris-marrón, con una línea negra en la espalda, mientras que la barriga es de color marfil. Los ojos son negros, y las orejas, grises.

# El hámster chino

Es un excelente cavador y se alimenta sobre todo de semillas y brotes. En invierno es principalmente nocturno, mientras que en verano es activo de día y de noche.

**Características físicas.** Tiene un cuerpo fino y alargado (puede llegar a medir de 10 a 13 cm con una cola de 2-3 cm) y la cabeza larga, parecida a la de los ratones. El macho pesa 40-45 g, y la hembra, algo menos.

**Temperamento.** Como animal de compañía, el hámster chino es más absorbente que sus primos: es más bien tímido y se adapta con menor facilidad a la vida con el ser humano. Pero cuando se acostumbra tiene un carácter dócil.

**Color.** De momento, sólo tiene un color: gris-marrón, con manchas de pelo blanco más o menos grandes y una banda más oscura en la espalda. La mitad inferior del cuerpo es blanca-gris.